Nous remercions le ministère du Patrimoine canadien,
la SODEC et le Conseil des Arts du Canada
de l'aide accordée à notre programme de publication

  Patrimoine   Canadian
canadien   Heritage

 Conseil des Arts   Canada Council
du Canada   for the Arts

ainsi que le Gouvernement du Québec
– Programme de crédit d'impôt
pour l'édition de livres
– Gestion SODEC.

Nous reconnaissons l'aide financière
du gouvernement du Canada
par l'entremise du Programme d'aide au développement
de l'industrie de l'édition (PADIÉ) pour ce projet.

Illustration de la couverture
et illustrations intérieures :
Sampar

Couverture :
Conception Grafikar

Édition électronique :
Infographie DN

Dépôt légal : 1er trimestre 2006
Bibliothèque nationale du Canada
Bibliothèque nationale du Québec

123456789 IML 09876

LE COCO D'AMÉRIQUE

• Série Coco •

DU MÊME AUTEUR
AUX ÉDITIONS PIERRE TISSEYRE

Collection Sésame
Où sont mes parents?, roman, 1999.
Coco, roman, 2000.
Espèce de Coco, roman, 2002.
Super Coco, roman, 2003.
Coco et le docteur Flaminco, roman, 2004.
Lettres de décembre 1944, roman, 2004.
Quel cirque, mon Coco!, roman, 2005.

Collection Papillon
Cendrillé, roman, 1997.
Charlie et les géants, roman, 2003.

CHEZ SOULIÈRES ÉDITEUR
La vie drôle et secrète du père Noël,
    bande dessinée, 1998.
L'Arbre de Joie, roman, 1999.
C'était le 8 août, roman, 1999.
Zzzut!, roman, 2001.
Mineurs et vaccinés, roman, 2002.
Zac, le fantôme, roman, 2003.
Mon petit pou, roman, 2003.
Un gardien averti en vaut trois, roman, 2004.
Les tempêtes, roman, 2004.

AUX ÉDITIONS MICHEL QUINTIN
Série *Savais-tu?,* 26 documentaires humoristiques
    sur les animaux, illustrés par Sampar.

Données de catalogage avant publication (Canada)

Bergeron, Alain M., 1957-

    Le Coco d'Amérique

    (Collection Sésame ; 84)
    Pour enfants de 6 à 9 ans.

    ISBN 2-89051-957-0

    I. Titre II. Collection : Collection Sésame ; 84.

PS8553.E674C622 2006   jC843'.54   C2005-941653-X
PS8553.E674C622 2006

ALAIN M. BERGERON

LE COCO
d'Amérique

roman

**ÉDITIONS
PIERRE TISSEYRE**

5757, rue Cypihot, Saint-Laurent (Québec) H4S 1R3
Téléphone : (514) 334-2690 – Télécopieur: (514) 334-
8395
Courriel : ed.tisseyre@erpi.com

À Patrice Paquin,
inséparable frère de Jean…

Mesdames, Messieurs,

À titre de président, je vous invite à participer à notre congrès annuel au grand auditorium de l'école André-Fortin, les 14 et 15 septembre prochain.

S'y tiendront les élections où vous renouvellerez, fidèles à votre habitude, le mandat de votre cher président. L'association remettra aussi un prix pour le plus grand nombre d'oiseaux cochés dans le carnet d'observation. Votre président obtiendra-t-il ce prix tant convoité pour une troisième année consécutive? C'est ce que vous lui souhaitez, j'en suis persuadé...

En plus de participer à l'assemblée générale, vous pourrez assister à la conférence du vice-président, Jean-Patrice Paquin, intitulée «Comment attirer des oiseaux dans nos mangeoires?» Monsieur Paquin est l'auteur de quelques livres spécialisés dont le tirage est malheureusement épuisé. Mon bon ami Cyprien Bouvreuil donnera, pour sa part, une conférence sur la taxidermie des oiseaux. Un sujet fascinant, s'il en est...

Enfin, je vous rappelle mon offre de récompense de mille dollars à qui me fournira des détails permettant d'observer et de photographier le coco d'Amérique.

Bon congrès !

Clovis Daigle,
Votre président

1

VISION
COCOCHEMARDESQUE

Quel affreux cauchemar ! Assise dans mon lit, je tente de calmer les battements fous de mon cœur…

Cela paraissait si… réel !

Le docteur Flaminco et Olivier Cardinal, avec la complicité de cette brute de Martial Létourneau, avaient capturé mon frère, Coco. Tout cela parce qu'il est né dans un œuf et qu'il peut voler ! Encore plus terrible : pour mieux l'observer, ils l'avaient empaillé !

Des larmes me montent aux yeux quand j'y repense. Vite ! Je dois me rassurer. Un câlin à mon petit Coco, et tout devrait rentrer dans l'ordre.

Il est 5 h 30. Le soleil d'été, sur le point de se lever, répand déjà sa lumière orangée dans notre maison. Doucement, pour ne pas réveiller mes parents, je me rends dans la chambre de frérot. Avec précaution, je retire la couverture de son visage pour donner un bisou sur… son oreiller !

Coco… Coco n'est plus là !

Je fonce vers la chambre de mes parents en hurlant :

— Maman ! Papa ! Coco a disparu !

Les images du docteur Flaminco
et d'Olivier Cardinal me reviennent
en mémoire. Non! Pas ça!

— Il n'est pas dans son lit! leur
dis-je, au bord de la panique.

Je suis trop énervée pour m'at-
tarder au claquement qui retentit
dans la chambre de mon frère.

Mes parents sautent en bas de
leur lit et se ruent vers l'autre pièce.

Je les avertis que, de mon côté, j'appelle la police. Sans plus attendre, je me rends dans la cuisine et m'empare du téléphone.

— Dépose le combiné, Chloé. C'est inutile, me prévient maman, à voix basse.

— Mais pourquoi?

— Tu as sûrement fait un cauchemar, ma chouette, murmure papa en revenant de la chambre de mon frère.

Il dépose un tendre baiser sur le front de… Coco, qu'il porte dans ses bras!

— 'Jour, Chloé, chuchote mon frère, après un long bâillement.

Mais qu'est-il arrivé? Papa m'explique que Coco est passé par la trappe qu'il a installée dans le plafond de sa chambre. C'est une sortie d'urgence, au cas où… Il n'a pas encore eu le temps de poser un loquet de sécurité. Quand la trappe s'est refermée, tout à l'heure, elle a produit le claquement auquel je n'ai pas prêté attention.

Mon frère serait-il somnambule? Si des gens marchent dans leur sommeil, Coco peut bien voler assoupi, lui…

Mardi, 12 septembre, 5 h 05

Quel début de matinée !
Je jouais de la flûte traversière sous un arbre, près de l'hôtel, quand un petit garçon venu de nulle part s'est avancé vers moi pour m'écouter. Âgé d'environ trois ou quatre ans, il était chauve et d'apparence délicate.

Quand j'ai eu fini ma pièce — une mélodie enfantine —, le bambin m'a adressé un large sourire. J'ai voulu le questionner. Que pouvait bien faire dehors un enfant si jeune, tout seul, à une heure aussi matinale ? Le temps de ranger

18

mon instrument dans son étui,
le petit s'était... envolé!

S'agissait-il d'un enfant
perdu, ou encore d'un Peter
Pan sorti tout droit du conte
de Sir James Barrie? Ou
bien ai-je eu devant moi,
pendant quelques minutes,
le mythique coco d'Amérique?

2

COCO, LE HÉROS

— **J**'étais tellement affolée quand j'ai constaté la disparition de Coco, Rose-Marie…

— Et tu ne sais pas où il a pu se balader? me demande ma meilleure amie.

— Cette cervelle d'oiseau est sûrement allé chercher sa collation matinale: un ver de terre bien dodu. Ce n'est pas pour rien qu'il se lève à l'heure des poules, le Coco! ricane Martial Létourneau, dévoilant ses larges palettes de castor.

Martial la peste réfléchit quelques instants et poursuit:

— En posant une trappe au plafond de la chambre de ton frère, c'est un peu comme si ton père lui avait installé… une chatière!

Martial éclate d'un rire monstrueux. Même Rose-Marie glousse… Les mains sur les hanches, je la rappelle à l'ordre:

— Ne l'encourage pas, au moins!

Mais mon amie a déjà repris sur elle et lui rétorque:

— Oui, et tu sais quoi, Martial? Ton père a demandé les plans pour aménager une trappe au plafond de la chambre de ta sœur, Petite Fleur…

Le rire du garçon s'éteint dans sa gorge. Si Alex, le gardien du parc des Bécassines et de mon cœur – même s'il ne le sait pas encore –, était là, il apprendrait les bonnes manières à cet imbécile. Mais je ne l'aperçois pas. Me voyant chercher quelqu'un du regard, Martial lit dans mes pensées et m'assène, avec un plaisir évident, une phrase assassine :

— Ton bel Alex est parti chez son amie, la jolie Sophie Charland…

Ouille! Il sait frapper où ça blesse le plus. J'essaie de ne pas lui laisser voir mon trouble. Attendez que je lui parle, à cet Alex. On n'est même pas fiancés que déjà il me trompe avec la plus belle fille de l'école…

Des rires nous parviennent du toboggan. Pour Coco et son amie Daphnée Marguerite, que l'on surnomme Petite Fleur, le toboggan n'est pas qu'une simple glissade. Il devient…

— Toute une rampe de lancement, n'est-ce pas ? nargue Rose-Marie.

— Tu racontes n'importe quoi ! réplique Martial, boudeur.

— Et ça, est-ce n'importe quoi ? lui dis-je, désireuse de reprendre l'avantage du terrain.

N'attendant que mon signal, Coco s'élance sur le toboggan. Rien d'exceptionnel, jusque-là. Sauf que son point de départ est situé… en bas du toboggan ! Mon frère se donne un élan et, couché sur le ventre, il file vers le haut en accélérant.

Lorsqu'il atteint le bout du toboggan, Coco tend les bras et s'envole dans le ciel ! Petite Fleur exécute la même manœuvre, à une

variante près : elle monte à reculons. Une fois propulsés dans les airs, les inséparables amis se pourchassent à une vitesse endiablée ; on croirait voir deux oiseaux qui se poursuivent.

— Petite Fleur, au pied ! Obéis ! commande durement Martial.

— Allons, Martial, tu ne t'adresses pas à ton stupide chien Kentucky ! lui fais-je remarquer, alors que des rires éclatent au-dessus de nos têtes.

Coco stoppe net son jeu. Il montre de son pouce un point au-delà du parc, où règne une agitation inhabituelle.

—Vilain minou ! s'indigne-t-il.

Telle une flèche, il file vers le sol, suivi de Petite Fleur. La rangée de cèdres qui clôture le parc nous empêche de voir ce qui se trame de l'autre côté. Avec Rose-Marie sur les talons, je cours retrouver Coco pour découvrir pourquoi il semble dans tous ses états.

Je manque de trébucher sur un chat noir qui quitte les lieux, ventre à terre. L'animal proteste avec hargne, sifflant et crachant, avant de s'éloigner.

Coco est penché; il ramasse quelque chose par terre avec toute la délicatesse du monde. Petite Fleur est émue.

Blotti dans les mains de mon frère, un oiseau soulève péniblement la tête. Je réalise que Coco l'a sauvé de la gueule du chat, qui s'apprêtait à en faire une seule bouchée. Je suis si fière de lui que je l'embrasse.

— Tu es un héros, Coco.

—Un *héros*? grogne Martial, de mauvaise foi. Dis plutôt un «héron»…

Coco souffle délicatement sur l'oiseau, qui se remet sur ses pattes. C'était comme si mon frère lui avait transmis son énergie. Avec une douceur infinie, Coco émet des sons aigus : « *Tchiiiiip! Tchiiiip!* »

L'oiseau lui répond à son tour. Petite Fleur se joint à la conversation.

— Ça jase joliment, par ici! note gaiement une voix derrière nous.

L'homme, dans la quarantaine environ, porte un large chapeau, d'épaisses lunettes et une barbe finement taillée. Des jumelles sont accrochées à son cou, et il a calepin et crayon à la main.

J'ai tendance à me méfier des étrangers, depuis quelque temps. Heureusement que Coco et Petite Fleur ne sont plus en vol. Cet adulte affiche une mine bienveillante, mais sait-on jamais? Sa tête me dit toutefois quelque chose... À pas comptés, le nouveau venu s'avance vers Coco qui, sans hésiter, lui présente son ami ailé.

— 'Jour, Flûte! Vilain minou! lui explique Coco.

— Je vois... Tu as sauvé ce bruant chanteur des griffes d'un chat, conclut l'homme, qui s'appelle Jean-Patrice Paquin. Bravo!

Je ne fais pas dans la divination : son nom est écrit noir sur blanc sur un petit carton épinglé à sa veste. Je me demande pourquoi Coco l'a gratifié d'un « 'Jour, Flûte ! » C'est curieux, ça…

Le bruant chante pour Petite Fleur.

— Il va bien, monsieur, traduit-elle.

— Ah ! parce que tu peux interpréter les bavardages d'un moineau ! s'emporte Martial.

— C'est un bruant, beau parleur ! corrige Rose-Marie.

— Prête ? suggère Coco à Petite Fleur, en regardant vers leur « rampe de lancement ».

J'interviens en vitesse et je pose la main sur l'épaule de mon frère. Je lui glisse à l'oreille qu'il est préférable de ne pas voler devant des inconnus. Coco approuve d'un signe de tête.

Il ouvre grandes ses mains. Le bruant lui chante une dernière note en guise de remerciement et recouvre sa liberté en vol.

— Bye, bruant! dit mon frère, un peu triste de ne pouvoir l'accompagner.

— On s'en va, Petite Fleur! décide Martial en lui agrippant le poignet. Il y a trop de monde gentil, à mon goût. Ça me donne la nausée...

3

UN COCOLLÈGUE
POMPEUX

— **A**h, tu étais là!

L'homme qui vient de se joindre à nous sans y avoir été invité est le portrait de sa voix. Son visage est fermé, son allure est hautaine et son sombre complet est austère. Voilà Clovis Daigle, le président de

l'Association des ornithologues —
c'est ce qui est écrit en grosses lettres dorées sur le grand carton
épinglé à son veston.

— Ainsi, Jean-Patrice, tu perds
encore ton temps à t'intéresser aux
espèces communes, se moque ce
prétentieux.

Un peu plus et j'avais l'impres-
sion qu'il parlait de nous!

L'impolitesse de Clovis Daigle
n'entache en rien la bonne humeur
de Jean-Patrice Paquin.

— Mon cher Clovis, le jeune garçon que voici a sauvé la vie d'un
bruant chanteur qui allait être dé-
voré par un chat, annonce-t-il en
désignant Coco.

J'aurais pensé que Coco ajou-
terait «Vilain minou!» mais il
demeure sur ses gardes devant
l'homme qui, avouons-le, est très
intimidant.

Clovis Daigle consent à peine un coup d'œil à mon frère, avant que celui-ci ne se cache derrière moi. Il appuie sa réponse d'une moue de dédain.

— Bof! Veux-tu qu'on lui remette une médaille? Un bruant chanteur de plus ou de moins. La Terre ne s'en serait pas portée plus mal…

Rose-Marie, à qui rien n'échappe, le confronte:

— Ce sont des propos très édifiants, de la part du président de l'Association des ornithologues.

— Jeune fille, soupire l'autre, agacé par le commentaire de mon amie, sachez que je laisse l'étude des oiseaux communs aux ornithologues communs.

Il fixe effrontément son «ami» Jean-Patrice Paquin.

— Je ne m'intéresse qu'aux hautes sphères de la science ornithologique… Je laisse les banales distractions aux autres…

Subitement, comme pour protester contre ce sans-gêne, des chants d'oiseaux éclatent. Sans hésiter, Clovis Daigle les nomme tous : tourterelle triste, merle d'Amérique, chardonneret et mésange à tête noire.

Il aurait pu énumérer n'importe quelles espèces d'oiseaux, personne ne l'aurait contrarié. Jean-Patrice Paquin approuve d'un signe de tête la démonstration savante du président.

Le déplaisant personnage avait étalé ses connaissances telle une liste d'épicerie, sans passion, avec nonchalance. Il semblait attendre une réaction de notre part. Non

mais, qu'espère-t-il ? Des applaudissements ?

Ennuyés par ce discours pompeux, nous nous apprêtons à quitter le parc.

— Au revoir, les enfants ! nous salue amicalement Jean-Patrice Paquin.

— Bye, Flûte ! lui répond Coco.

Alors que nous nous éloignons, la voix acide de Clovis Daigle s'élève, tel un ordre :

— Si vous voyez le coco d'Amérique, faites-*moi* signe ! C'est qu'il aurait été observé dans les parages…

Ça y est ! La mémoire me revient ! Je me rappelle enfin quand j'ai aperçu Jean-Patrice Paquin la première fois. Après l'épisode du cirque Cardinal, c'est lui qui était venu au parc pour savoir si quelqu'un avait aperçu le coco d'Amérique dans les environs. Dans le livre qu'il m'avait montré apparaissait un dessin sommaire de cet oiseau. J'avais alors reconnu mon frère[1]!

Pendant tout un mois, j'étais restée sur mes gardes, craignant le retour de cet homme qui voulait je ne sais trop quoi à Coco.

Puis, la vie avait repris son cours dans le quartier.

Jusqu'à ce matin, avec ce cauchemar, et jusqu'à cet après-midi, avec l'apparition, non pas d'un, mais de deux inconnus à la recherche de... Coco!

1. Voir *Quel cirque, mon Coco!* du même auteur, dans la même cocollection.

Mercredi, 13 septembre,
_5 h 23_

Victoire! J'ai aperçu le coco
d'Amérique! Il était loin, mais je l'ai
quand même vu, de mes yeux vu!
J'ai pu l'observer de ma chambre
d'hôtel. Il s'est posé dans le parc,
ce matin. Détail important: il semble
fasciné par la musique, même celle
que joue mon collègue Paquin.
Je pense d'ailleurs que c'est cette
ridicule berceuse qui l'a attiré
jusqu'à lui. La prochaine fois qu'il
exécutera sa pièce à la flûte, je vais
l'enregistrer à son insu pour pouvoir
attirer le coco d'Amérique et

l'étudier à ma guise, à l'abri des regards indiscrets.

Je mettrai mon plan à exécution dès demain. Et j'économiserai mille dollars!

4

PETITE FLEUR
À LA RESCOUSSE

Plus j'y pense, plus je crois que ce n'est pas un hasard si l'Association des ornithologues tient son congrès annuel dans ma ville. Un article dans le journal local porte sur cet événement, accompagné d'une photo du président, Clovis Daigle. Derrière lui, on devine plus qu'on ne voit la silhouette de Jean-Patrice Paquin.

Alors que je parcours le texte, mes doutes se confirment. Clovis Daigle est ici pour débusquer le coco d'Amérique. Il offre même une récompense de mille dollars à qui lui fournira les renseignements nécessaires pour l'observer et le photographier.

Il faudrait limiter les sorties aériennes de Coco, du moins pendant la durée du congrès. Papa devrait poser au plus vite le loquet de sécurité sur la trappe et…

Un claquement provient de la chambre de mon frère… La trappe! Coco est-il rentré ou sorti? Je dois en avoir le cœur net. Mais une fois sur place, je réalise que j'arrive trop tard…

Avec Rose-Marie, je rencontre Martial et Petite Fleur au parc.

Énervée, je leur résume la situation.

—Coco n'est pas revenu à la maison de la matinée. Je suis sûre qu'il lui est arrivé malheur. Petite Fleur, tu dois nous aider !

—Pourquoi ma sœur vous aiderait-elle ? s'informe Martial, nullement ému par mon histoire.

J'aurais tout aussi bien pu lui apprendre que j'avais égaré mon vélo qu'il n'aurait pas réagi davantage.

—Parce que, faut-il te le rappeler, gronde Rose-Marie, Coco a déjà retrouvé ta sœur quand elle s'était perdue dans la forêt. Son intuition l'avait guidé vers elle[2].

—Le contraire pourrait aussi se produire. Fleur pourrait très bien nous mener à l'endroit où se trouve

---

2. Voir *Super Coco* du même auteur, dans la même cocollection.

Coco. Ta sœur est notre unique espoir.

— Coco? me questionne Petite Fleur, en montrant le toboggan.

Martial hausse les épaules en signe d'indifférence et roule les yeux vers le ciel. Sans hésiter, Daphnée Marguerite bondit dans les airs, au grand désarroi de son frère.

— Veux-tu bien descendre de là! lui ordonne-t-il.

Mais Petite Fleur tourne lentement sur elle-même, entre ciel et terre, à la manière d'un radar. Elle émet de petits piaillements semblables à ceux de Coco. Tout d'un coup, sans avertir, elle file vers...

— L'école! devine Rose-Marie.

Petite Fleur nous attend pour que nous ne la perdions pas de vue. Cette précaution est inutile, car

nous pourrions la suivre au son :
un convoi de bruants chanteurs
l'escortent dans son vol...

5

LE COCO
ET LA COCOTTE
D'AMÉRIQUE

Une fois à l'école, au bout d'une dizaine de minutes, Martial incite sa sœur à marcher plutôt qu'à voler. Il est vrai que la grande banderole déployée devant l'entrée nous invite à la prudence : « L'Association des ornithologues vous souhaite la bienvenue ! »

À l'intérieur, Petite Fleur, juchée sur les épaules de Martial, nous conduit dans les couloirs. Après quelques minutes d'exploration, elle demande à son frère de la déposer sur le plancher.

— Coco!

Et elle file dans le corridor.

— Dépêchons-nous, Rose-Marie! dis-je. Petite Fleur semble croire que Coco est par là!

La meilleure amie de Coco freine brusquement devant le dernier local avant l'escalier qui mène à l'auditorium. Elle montre la porte du doigt :

— Coco… Il est ici!

On entend une musique en sourdine. C'est… mais oui! C'est *La poulette grise,* la berceuse que je chantais à Coco quand il était encore dans sa coquille.

Sans hésiter une seule seconde, j'ouvre la porte. Daphnée Marguerite se faufile entre mes jambes. La scène me laisse sans voix. Au fond de la classe, Coco est enchaîné sur un énorme perchoir, entre deux haut-parleurs.

— Eh! Je connais cette musique! s'exclame Martial, excité.

— Que faites-vous ici? vocifère l'arrogant Clovis Daigle.

Rapide comme l'éclair, Petite Fleur s'envole pour se poser près de Coco.

— Ah bon! Il y a aussi une co-cotte d'Amérique! jubile-t-il, carnet d'observation à la main.

En apercevant sa meilleure amie, Coco paraît sortir de sa transe.

— 'Jour, Fleur, lui murmure-t-il.

— Bonjour, Coco, répond-elle, encore un inquiète.

— C'est *Un bon chocolat chaud,* de Carmen Campagne! déclare Martial. Euh, non… Ce n'est pas ça du tout.

Petite Fleur commence à chanter «*Tchiiiiip! Tchiiiiip!*» en incitant Coco à l'imiter. À peine quelques secondes plus tard, un phénomène curieux se produit. Des petits bruants viennent marteler de leur bec les fenêtres de la classe. Est-ce une coïncidence? Coco et Petite Fleur les auraient-ils appelés?

Clovis Daigle s'empare d'un appareil photo qui traîne sur le bureau d'enseignant et entreprend de photographier mon petit frère et son amie, toujours sur le perchoir.

— Le petit oiseau va sortir, se moque l'homme en prenant plusieurs clichés.

Je suis pétrifiée!

D'un geste impatient, Clovis Daigle arrête son magnétophone.

— Je ne suis plus capable de supporter cette satanée musique!

Martial rouspète:

— Attendez! J'avais le titre de la chanson sur le bout de la langue…

— Vas-tu te taire, cervelle d'oiseau! l'intime Daigle.

— Dans son cas, il faudrait plutôt parler de cervelle de Létourneau, corrige Rose-Marie.

Pendant que les uns insultent les autres, Coco, dont l'attention est détournée de sa pièce musicale préférée, semble reprendre ses esprits. Je dois créer une diversion :

— Est-ce vous qui jouez de la flûte sur l'enregistrement, monsieur Daigle ?

— Non. J'ai enregistré mon collègue Paquin qui *flûtinait* sur son balcon, à l'hôtel. Ce n'était pas plus compliqué que pour un chant d'oiseau. J'avais déjà tout le matériel.

À l'hôtel, en plein centre-ville, à plus d'un kilomètre de ma maison ? Ainsi, Coco pouvait entendre la musique d'aussi loin… Son ouïe est donc extrêmement développée. Je ne cesse d'en découvrir sur les formidables pouvoirs de mon frère.

— Et c'est comme ça, poursuit Daigle, que j'ai pu appâter votre Coco. Je l'ai cueilli comme un poisson au bout d'un hameçon ! Dans quelques minutes, lors de l'assemblée générale, ce sera mon heure de gloire. Je vais présenter pour la première fois des photos du coco d'Amérique et de sa cocotte. Je serai le seul membre à avoir pu les observer, ce qui m'assurera une place enviée dans le monde de l'ornithologie. On pourrait même rebaptiser le coco d'Amérique pour lui donner un nom plus flamboyant : le *Clovis americalis,* par exemple.

Survolté, l'avide président se pavane tel un paon.

— Mais d'autres pourraient les apercevoir, souligne Rose-Marie, soupçonneuse.

— Non ! tranche-t-il, puisque je serai le seul à les avoir vus... vivants !

D'un mouvement brusque, une lueur folle dans les yeux, il retire un objet attaché à l'arrière de sa ceinture. Terrorisés, nous retenons notre souffle… pour rien. Cette boîte carrée qu'il tient dans sa main, c'est son téléphone cellulaire. Il s'empresse de composer un numéro.

— J'appelle mon ami Cyprien Bouvreuil. Il est taxidermiste, précise-t-il en appuyant sur le dernier mot.

— Vous allez vous balader en taxi? croit Martial.

— Mais non, jeune coq imbécile! aboie l'homme malveillant. Quand j'en aurai terminé avec ce congrès, j'emmènerai le coco d'Amérique et sa copine chez moi pour les observer à ma guise. Pour cela, je les ferai… empailler!

Empailler? Comme dans mon cauchemar…

C'est horrible!

Carnet d'observation —
Jean-Patrice Paquin

Vendredi, 15 septembre, 14 h 30

J'espère que le coco-d'Amérique n'a pas eu d'ennuis. Je joue de la flûte depuis l'aube, et il n'est toujours pas apparu, lui qui venait chaque matin depuis mardi. Peut-être ai-je simplement mal interprété son attrait pour la musique, après tout...

Dommage.

6

CACOCOPHONIE

Nous n'avons pas le temps de méditer sur le sens des terribles paroles de Clovis Daigle. Empailler mon Coco… Il faut être cinglé pour penser à faire une telle chose!

« Pas question de "taxidermiser" ma sœur! siffle Martial, ses dents de castor serrées. Contentez-vous donc du Coco! »

La menace n'intimide nullement le président, qui le considère avec mépris.

Soudain, Petite Fleur et Coco modifient leur chant. Il devient beaucoup plus strident : «*Tchiiiiiiiii-iiiiiiiiiiiiiiiip ! Tchiiiiiiiiiiiiiiiiiiiiiiiiiip !*»

Sur la partie extérieure des fenêtres de la classe, les bruants accentuent le rythme de leurs attaques, qui se transforment en une véritable pétarade.

Pendant que Clovis Daigle range son téléphone cellulaire, Rose-Marie, aussi discrète qu'une souris, se glisse jusqu'à une fenêtre de la classe et l'ouvre.

Des dizaines de bruants s'engouffrent alors à l'intérieur et harcèlent Clovis Daigle. Celui-ci tente tant bien que mal de se protéger. Un oiseau lui assène un coup de bec sur le crâne. Un autre effectue

un vol plané au-dessus de sa tête pour lui arracher quelques cheveux.

D'un mouvement rapide, je libère Coco de la chaînette. Fou de joie, mon petit frère s'envole, suivi de Petite Fleur. C'est le moment d'en profiter pour nous faufiler à l'extérieur de la classe. Quand j'ouvre la porte, une autre surprise nous attend. Tel un mur infranchissable se dresse Jean-Patrice Paquin.

Malheur de malheur ! Serait-il possible qu'il soit le complice d'un être aussi désagréable que Clovis Daigle ? Je me ravise aussitôt. Je constate, à sa mine intriguée, qu'il ne sait pas ce qui se trame ici.

— 'Jour, Flûte ! l'accueille Coco.

Je comprends maintenant pourquoi mon frère l'appelait ainsi quand il l'a vu, mardi, au parc des

Bécassines. Il l'avait déjà entendu jouer de la flûte traversière.

— Bonjour, mon beau Coco, lui répond l'ornithologue. Mais où allez-vous, les enf…?

La vue des assauts répétés des bruants chanteurs à l'endroit de son président l'étonne au plus haut point.

— Jean-Patrice! s'affole la victime. Empare-toi de lui! C'est le coco d'Amérique… avec sa cocotte!

Doit-on avoir confiance en cet homme que nous connaissons si peu? Mais au point où on en est, a-t-on vraiment le choix?

— Monsieur Paquin, faites quelque chose! lui dis-je. Il veut empailler mon frère et son amie!

— Lâchez-moi, sales bestioles! hurle Clovis, battant des bras pour chasser les oiseaux importuns.

Jean-Patrice, je te promets la récompense de mille dollars si tu les
attrapes!

—Il n'en est pas question!
coupe Jean-Patrice Paquin. Venez,
les enfants!

Notre guide nous entraîne en
courant dans le couloir, vers l'escalier menant à l'auditorium. Où
veut-il en venir? Il grimpe les mar-
ches, trois à la fois, avec nous derrière lui. Coco et Petite Fleur ne
touchent plus terre depuis un bon
moment. Ils s'assoient sur la rampe
de l'escalier et, d'un commun accord, glissent… vers le haut!

—C'est fantastique! s'exclame
l'ornithologue, émerveillé.

S'ajoutent au spectacle les
bruants chanteurs, qui ont délaissé
la tête de Clovis Daigle pour virevolter autour de Coco et de Petite
Fleur.

— Par ici! indique Jean-Patrice Paquin après avoir ouvert une porte.

En pénétrant dans la pièce, nous sommes aveuglés par de puissants projecteurs. Nous sommes sur la scène de l'auditorium.

Je tiens Coco par la main et Martial retient Petite Fleur par le poignet. Pour l'instant, la consigne est de demeurer cloués au sol. Les bruants chanteurs se sont, quant à eux, discrètement réfugiés derrière le grand rideau noir de l'arrière-scène.

— Restez ici! nous recommande Jean-Patrice Paquin en se dirigeant d'un pas rapide vers le micro.

Avant qu'il n'ait eu le temps de s'adresser à la foule, Clovis Daigle effectue une entrée fracassante, claquant la porte des coulisses.

Jean-Patrice Paquin souligne la présence du président de l'Association des ornithologues.

« Mes chers amis, soyez déjà remerciés pour votre participation à ce dernier rendez-vous de notre congrès annuel. Avant de laisser la parole à notre président – et je l'invite à nous rejoindre –, j'aimerais vous entretenir de quelques points qui ne sont pas à l'ordre du jour…»

— *Frère Jacques*! se félicite Martial en frappant dans ses mains.

— Quoi? *Frère Jacques*? répète Rose-Marie.

— J'ai trouvé le titre de la chanson: c'est *Frère Jacques*!

Clovis Daigle, les traits crispés, s'avance vers Jean-Patrice Paquin, qui poursuit:

« Vous savez tous que notre cher président s'est engagé à verser une récompense de mille dollars à qui lui fournirait des détails lui permettant d'observer le coco d'Amérique. »

L'orateur se frotte les mains avec un air satisfait. Quoi ? Va-t-il exiger la récompense, maintenant ?

Déçue au plus haut point par son attitude, je m'en confie à Rose-Marie. Ainsi, cet homme que l'on croyait notre allié s'acoquine avec cet infâme Daigle pour réclamer un prix en argent ! La nature humaine est vraiment déprimante…

— Non… Attends, Chloé, avant de conclure trop vite, me souffle mon amie à l'oreille.

Dégageant le poignet de Petite Fleur de la main de Martial, Rose-Marie m'incite à lâcher la main de Coco. Sans se consulter, les deux enfants marchent vers Jean-Patrice Paquin. Des murmures saluent leur arrivée.

«Mes chers amis… Oh! Mais qu'avons-nous ici?»

Jean-Patrice Paquin joue les innocents, mais il sait parfaitement ce qui va suivre. Une voix surgit du fond de la salle:

— C'est… c'est le coco d'Amérique!

Une autre voix, plus près, tonne:

— Je suis le premier à l'avoir vu!

— Non, c'est moi! affirme une femme.

D'autres voix s'élèvent, dans une cacophonie indescriptible.

— Je l'ai noté dans mon carnet d'observation!

— Moi aussi! rugit son voisin.

— C'est moi qui en ai coché le plus!

— Pas du tout!

Jean-Patrice Paquin rappelle tout son monde à l'ordre:

«Du calme, mes amis!»

Devant la mine atterrée de Clovis Daigle, toujours à ses côtés, il alimente le feu en interpellant la foule :

« Et n'oubliez pas l'offre de récompense de notre cher président ! »

Une explosion de cris s'ensuit :

— À moi, le mille dollars !

— Non, à moi !

— Je vais me servir ! lance un troisième ornithologue.

Conscient du danger potentiel d'une émeute dont il serait la cible, Clovis Daigle s'enfuit des lieux, laissant toute la scène à Jean-Patrice Paquin, à Coco et à Petite Fleur.

— Quelle poule mouillée ! s'amuse Rose-Marie.

De sa voix apaisante, Jean-Patrice Paquin ne met que quelques secondes pour reprendre le contrôle de la salle.

« Mes chers amis, oublions cette histoire complètement FARFELUE de récompense… Après tout, le coco d'Amérique, c'est Coco, un véritable et adorable petit garçon! Notre président a voulu nous faire une petite blague pour clôturer le congrès. Et puis, peut-on mettre un prix sur l'immense plaisir que nous procure notre merveilleux loisir? L'ornithologie, notre passion commune, ne doit pas se réduire à une course folle pour savoir qui cochera le plus de cases dans son carnet d'observation. »

Des applaudissements nourris témoignent de la justesse de ce message. Jean-Patrice Paquin a su toucher son public.

— Coco mmmmm Flûte, chuchote mon frère à l'oreille de l'homme.

Il entame ensuite son chant :
«*Tchiiiiip! Tchiiiiip!*»

De derrière le rideau noir sur-
gissent les dizaines de bruants
chanteurs qui pépient gaiement.
Peu farouches, ils volent partout
dans la salle. Certains se perchent
sur le dossier d'un siège ; d'autres,
plus hardis, se posent dans la main
d'un ornithologue.

À la vue de ses copains ailés,
mon frère entreprend sa fameuse
danse du Coco ! Ses gestes sont aussitôt imités par Petite Fleur, Rose-
Marie et moi. Si Martial préfère demeurer en retrait, Jean-Patrice
Paquin décide d'entrer lui aussi
dans la danse. De sous le lutrin, il
sort sa flûte traversière et entreprend une version endiablée de
La poulette grise.

Pour ajouter à l'effet, les lumières
s'allument dans l'auditorium.

Bientôt, des centaines de personnes participent à la fête. Menées par Coco et Petite Fleur, elles battent des bras, se trémoussent frénétiquement le croupion. Elles se promènent à pas lents dans les allées en dodelinant de la tête et en poussant de petits gloussements de plaisir, avant de terminer par un cri de joie et… un tonnerre d'acclamations à en faire trembler la salle.

— Encore! s'enthousiasme Jean-Patrice Paquin.

Et l'on recommence la danse du Coco!

Mes très chers amis,

L'année qui vient de se terminer en aura été une autre fertile en activités.

Nous avons décidé, d'un commun accord, d'abolir le concours d'observation d'oiseaux, à la suite des événements que nous avons vécus au dernier congrès annuel. Saluons, dans un même souffle, le départ de notre président, Clovis Daigle, après trois années passées à la tête de notre association. Vous m'avez fait l'honneur de me choisir pour lui succéder, et j'accepte avec grand plaisir de relever ce nouveau défi.

Tel que convenu à la clôture du congrès, nous retirerons du carnet d'observation le nom du coco d'Amérique. Celui-ci, nous l'avons tous constaté, est un enfant, et non un oiseau... Nous nous excusons d'ailleurs pour cette épouvantable méprise.

Toutefois, les ornithologues en quête d'exotisme pourront toujours se rabattre sur la recherche d'un grand oiseau qui aurait été aperçu dans le sud de la Floride. Il s'agirait du mythique Flaminco chauve à lunettes.

Au plaisir de vous revoir l'an prochain.

Et vive les oiseaux !

Jean-Patrice Paquin,
Votre tout dévoué président

TABLE DES MATIÈRES

Alain M. Bergeron

Amorcée en 2000, la série des Coco compte maintenant six titres… Une demi-douzaine de Coco! Au fil des ans, grâce à sa grande sœur Chloé, nous avons assisté à la naissance de Coco, à son premier envol (puisqu'il est né dans un œuf, faut-il le rappeler?), à ses premiers démêlés avec cet imbécile de Martial Létourneau, à ses jeux avec Petite Fleur, sans oublier l'enlèvement de ses parents par l'inquiétant docteur Flaminco, et ses aventures au cirque Cardinal.

À force de virevolter dans les airs, Coco allait, tôt ou tard, attirer l'attention des ornithologues… C'est précisément le nœud de cette nouvelle aventure.

Une fois parti, pourquoi se contenter d'une demi-douzaine? Et si on se rendait à une douzaine de Coco, alors que Coco, Chloé, Rose-Marie, Petite Fleur et Martial feront de drôles de rencontres? Mais je ne vous en dis pas plus. Ces nouvelles aventures seront à découvrir dans les prochains titres!

SÉSAME

Collection Sésame